猫にかつお節

ノルウェージャンフォレストキャット
Norwegian Forest Cat

ノルウェーでは森の妖精と呼ばれ、豊かな長毛であることが特徴の猫。

谷折り
valley fold

山折り
mountain fold

キリトリ線

猫にかつお節　好物をそばに置いておくのは油断ができない、危険であるという意味。

©cochae

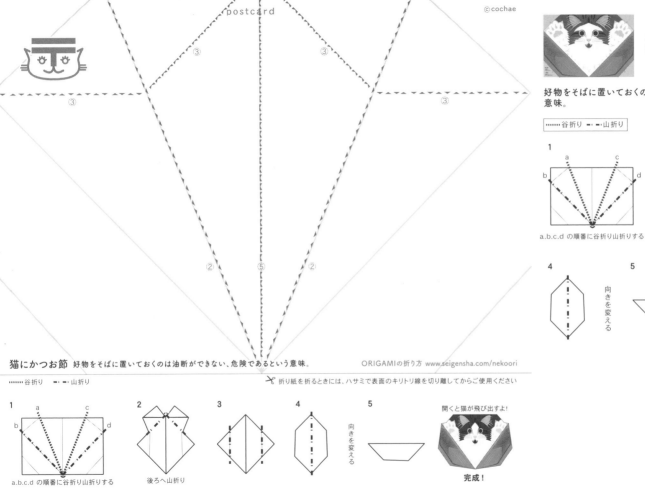

③ ③ ③
③ ③
② ⑤ ②

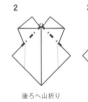

猫にかつお節

好物をそばに置いておくのは油断ができない、危険であるという意味。

•••••• 谷折り ━ ･ ━ 山折り

1

a c
b d

a.b.c.d の順番に谷折り山折りする

2

後ろへ山折り

3

4

向きを変える

5

開くと猫が飛び出すよ！

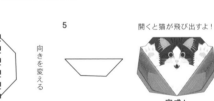

完成！

猫にかつお節 好物をそばに置いておくのは油断ができない、危険であるという意味。

ORIGAMIの折り方 www.seigensha.com/nekoori

•••••• 谷折り ━ ･ ━ 山折り

✂ 折り紙を折るときには、ハサミで表面のキリトリ線を切り離してからご使用ください

1

a c
b d

a.b.c.d の順番に谷折り山折りする

2

後ろへ山折り

3

4

向きを変える

5

開くと猫が飛び出すよ！

完成！

猫をかぶる

ボンベイ
Bombay

インドの黒豹からイメージしてつくられ、当時
大都市であったボンベイより名づけられた猫。

✄ キリトリ線

猫をかぶる 表面的にはおとなしい猫のように、本性を隠してふるまうたとえ。

©cochae

猫をかぶる

表面的にはおとなしい猫のように、本性を隠してふるまうたとえ。

1

2

○部分を内側に折り込む

3 a b

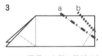

a.b の順番で内側に段折りする

4

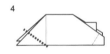

5

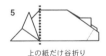

上の紙だけ谷折り

6

7

顔の横を山折り

8

内側に折り込む後ろ側も同じ

完成！

猫をかぶる 表面的にはおとなしい猫のように、本性を隠してふるまうたとえ。

ORIGAMIの折り方 www.seigensha.com/nekoori

┈┈ 谷折り ┈ ┈ 山折り

✂ 折り紙を折るときには、ハサミで表面のキリトリ線を切り離してからご使用ください

1

2

○部分を内側に折り込む

3 a b

a.b の順番で内側に段折りする

4

5

上の紙だけ谷折り

6

7

顔の横を山折り

8

内側に折り込む後ろ側も同じ

 完成！

猫に小判

ベンガル
Bengal

ヤマネコとイエネコの交配から生まれた、野性的な外見におとなしい内面をもつ猫。

猫に小判 価値が分からない者に、貴重なものを与えても何の役にも立たないという意味

猫 に 小 判

価値が分からない者に、貴重なものを与えても何の役にも立たないという意味。

1

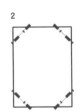

2

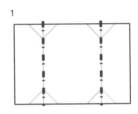

完成！

猫に小判 価値が分からない者に、貴重なものを与えても何の役にも立たないという意味。

ORIGAMIの折り方 www.seigensha.com/nekoori

✂ 折り紙を折るときには、ハサミで表面のキリトリ線を切り離してからご使用ください

1

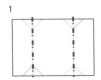

2

完成！

ドロボウ猫

ロシアンブルー
Russian Blue

スリムな体型で毛の色はグレー、ロシア帝国の
貴族に愛されていたことから名づけられた猫。

山折り
mountain fold

谷折り
valley fold

キリトリ線

©cochae

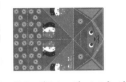

ドロボウ猫

他人の家にしのびこんで食べ物を盗む猫。隠れて悪事をする人。

┈┈┈ 谷折り	━ ･ ━ 山折り

1

裏面を出す

2

○部分を内側に折り込む

3

上の紙だけ山折り

4

下部分だけ山折り

5

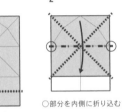

完成！

ドロボウ猫 他人の家にしのびこんで食べ物を盗む猫。隠れて悪事をする人。

ORIGAMIの折り方 www.seigensha.com/nekoori

┈┈┈ 谷折り　━ ･ ━ 山折り　　　　　✈ 折り紙を折るときには、ハサミで表面のキリトリ線を切り離してからご使用ください

1

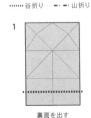

裏面を出す

2

○部分を内側に折り込む

3

上の紙だけ山折り

4

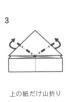

下部分だけ山折り

5

完成！

猫が胡桃を回すよう
(くるみ)

ラガマフィン
Raggamuffin

ペルシャ・バーマン・メインクーンの交配から
生まれた長毛で大型の猫。

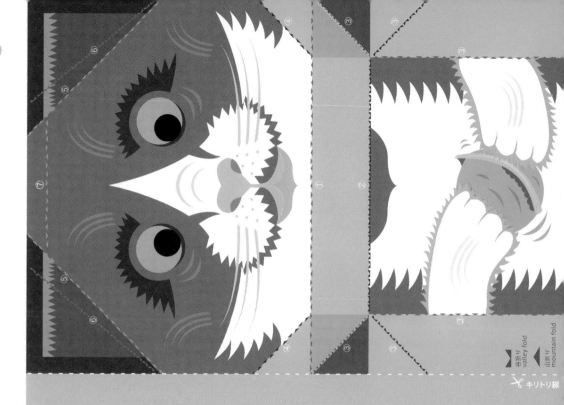

谷折り
valley fold

山折り
mountain fold

キリトリ線

猫が胡桃を回すよう　猫がクルミを手で回し遊んでいる様子から、じゃれついたり、ちょっかいを出したりするさまのたとえ。

©cochae

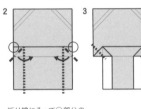

猫が胡桃を回すよう

猫がクルミを手で回し遊んでいる様子から、じゃれついたり、ちょっかいを出したりするさまのたとえ。

┈┈ 谷折り	━▪━ 山折り

1

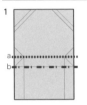

裏面を出す
a.b の順番に谷折り
山折りをする

2

折り線にそって○部分の
内側を開きながら折る

3

b a a b

4

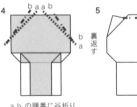

a.b の順番に谷折り
山折りをする

5

裏返す

6

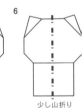

少し山折り

完成！

猫が胡桃を回すよう

猫がクルミを手で回し遊んでいる様子から、じゃれついたり、ちょっかいを出したりするさまのたとえ。

ORIGAMIの折り方 www.seigensha.com/nekoori

┈┈ 谷折り	━▪━ 山折り

✂ 折り紙を折るときには、ハサミで表面のキリトリ線を切り離してからご使用ください

1

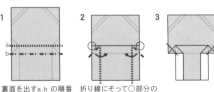

裏面を出すa.b の順番
に谷折り山折りをする

2

折り線にそって○部分の
内側を開きながら折る

3

4

b a a b

a.b の順番に谷折り
山折りをする

5

裏返す

6

少し山折り

完成！

猫も杓子も

スコティッシュフォールド
Scottish Fold

前方に折れ曲がりながら垂れた耳をしているのが特徴の猫。

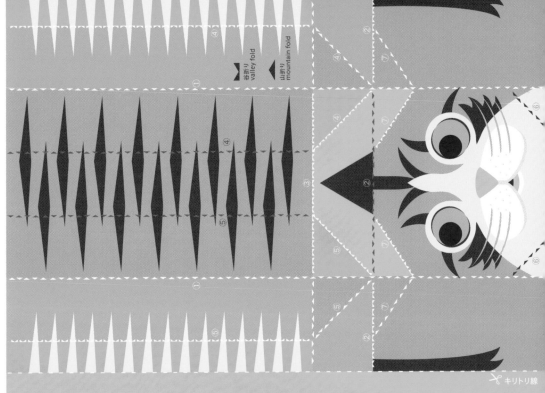

谷折り
valley fold

山折り
mountain fold

キリトリ線

© cochae

猫も杓子も
しゃくし

誰も彼も、何もかもの意味。

┈┈谷折り ━・━山折り

1

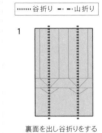

裏面を出し谷折りをする

2

b
a

a.b の順番に谷折り
山折りをする

3

折り線にそって
○部分の内側を
開きながら折る

4

3と同じように
○部分の内側を
開きながら折る

5

6

裏返す

7

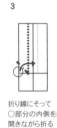

完成

猫も杓子も 誰も彼も、何もかもの意味。

ORIGAMIの折り方 www.seigensha.com/nekoori

┈┈谷折り ━・━山折り

✂ 折り紙を折るときには、ハサミで表面のキリトリ線を切り離してからご使用ください

1

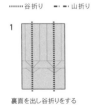

裏面を出し谷折りをする

2

b
a

a.bの順番に谷折り
山折りをする

3

折り線にそって○部分の
内側を開きながら折る

4

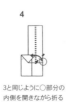

3と同じように○部分の
内側を開きながら折る

5

6

裏返す

7

完成!

猫に唐傘
かのうさ

メインクーン
Maine Coon

大きな体に豊かな毛の長い尾が特徴の猫。

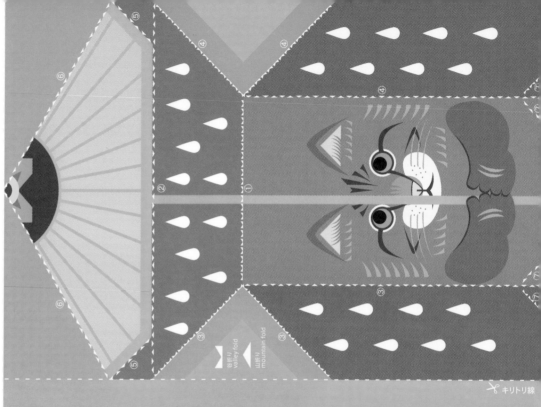

谷折り valley fold
山折り mountain fold

キリトリ線

猫に唐傘 猫の前で傘を広げるとびっくりすることから、驚くことや驚いた様子のたとえ

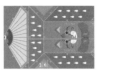

猫に唐傘
<ruby>唐傘<rt>からかさ</rt></ruby>

猫の前で傘を広げるとびっくりすることから、驚くことや驚いた様子のたとえ。

┌─────────────────┐
│ ……… 谷折り ━・━ 山折り │
└─────────────────┘

1

2

3

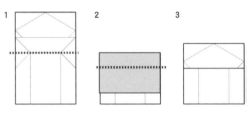

4

折り線にそって
○部分の内側を
開きながら折る

5

裏返す

6

7

少しだけ谷折り

完成！

猫に唐傘 猫の前で傘を広げるとびっくりすることから、驚くことや驚いた様子のたとえ。

ORIGAMIの折り方 www.seigensha.com/nekoori

……… 谷折り ━・━ 山折り

✂ 折り紙を折るときには、ハサミで表面のキリトリ線を切り離してからご使用ください

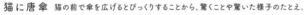

1

2

3

4

裏返す

折り線にそって
○部分の内側を
開きながら折る

5

6

裏返す

7

少しだけ谷折り

完成！

猫の鼻先にねずみを置くように

アメリカンショートヘア
American Shorthair

17世紀にヨーロッパからの開拓者達によって、
北アメリカへ渡ったのがルーツといわれる猫。

谷折り valley fold
山折り mountain fold

キリトリ線

©cochae

猫の鼻先に
ねずみを置くように

猫の鼻先に好物のねずみを置くことは、かえって非常に危険だと
いうことのたとえ。

| ┈┈┈谷折り | ━・━山折り |

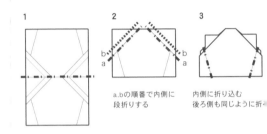

1

2
a.bの順番で内側に
段折りする

3
内側に折り込む
後ろ側も同じように折

完成!

猫の鼻先ねずみを置くように
猫の鼻先に好物のねずみを置くことは、かえって非常に危険だということのたとえ。

ORIGAMIの折り方 www.seigensha.com/nekoori

| ┈┈┈谷折り | ━・━山折り |

✂ 折り紙を折るときには、ハサミで表面のキリトリ線を切り離してからご使用ください

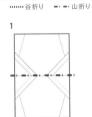

1

2
a.bの順番で内側に
段折りする

3
内側に折り込む
後ろ側も同じように折る

完成!

猫の寒恋い

三毛猫①
Tortoiseshell

白・茶色・黒の3色の短毛の毛が生えている
日本猫。

キリトリ線

山折り
mountain fold

谷折り
valley fold

猫の寒恋い

冬が嫌いな寒がりでも、さすがに暑い夏には寒さを恋しがると
うたとえ。

┄┄┄ 谷折り ━・━ 山折り

1

裏面を出す
a,b の順番に山折り
谷折りをする

2

折り線にそって
○部分の内側を
開きながら折る

3

a,b の順番に谷折
山折りをする
反対側の耳も
同じように折る

4

5

裏返す

完成！

猫の寒恋い 冬が嫌いな寒がりでも、さすがに暑い夏には寒さを恋しがるというたとえ。

ORIGAMIの折り方 www.seigensha.com/nekoori

┄┄┄ 谷折り ━・━ 山折り

✂ 折り紙を折るときには、ハサミで表面のキリトリ線を切り離してからご使用ください

1

裏面を出す
a,b の順番に山折り
谷折りをする

2

折り線にそって
○部分の内側を
開きながら折る

3

a,b の順番に谷折り
山折りをする
反対側の耳も同じように折る

4

5

裏返す

完成！

秋の雨が降れば猫の顔が三尺になる

谷折り
valley fold

山折り
mountain fold

キリトリ線

三毛猫②
Tortoiseshell

白・茶色・黒の3色の短毛の毛が生えている
日本猫。

秋の雨が降れば猫の顔が三尺になる 秋でも雨降りの日は暖かくなり、寒がりの猫も顔を三尺も長くして喜ぶということ。

秋の雨が降れば 猫の顔が三尺になる

秋でも雨降りの日は暖かくなり、寒がりの猫も顔を三尺も長くして喜ぶということ。

┄┄┄ 谷折り ▪━▪ 山折り

1

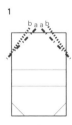

2

3

a.bの順番に山折り
谷折りをする

4

a.bの順番に山折り
谷折りをする

完成！

秋の雨が降れば猫の顔が三尺になる

秋でも雨降りの日は暖かくなり、寒がりの猫も顔を三尺も長くして喜ぶということ。

ORIGAMIの折り方 www.seigensha.com/nekoori

┄┄┄ 谷折り ▪━▪ 山折り

✄ 折り紙を折るときには、ハサミで表面のキリトリ線を切り離してからご使用ください

1

2

3

4

a.b の順番に山折り
谷折りをする

完成！

猫の手も借りたい

三毛猫③
Tortoiseshell

白・茶色・黒の3色の短毛の毛が生えている
日本猫。

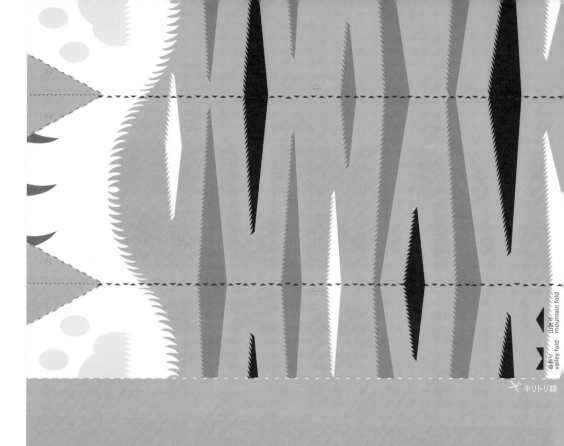

猫の手も借りたい ものすごく忙しくて、人手が足りない様子のたとえ。

©cochae

猫の手も借りたい

ものすごく忙しくて、人手が足りない様子のたとえ。

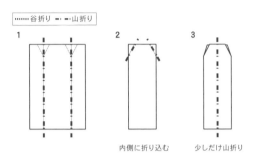

┈┈┈谷折り ▬・▬ 山折り

1   2   3

2 内側に折り込む

3 少しだけ山折り

猫の手も借りたい ものすごく忙しくて、人手が足りない様子のたとえ。

ORIGAMIの折り方 www.seigensha.com/nekoori

┈┈┈谷折り ▬・▬ 山折り

✂ 折り紙を折るときには、ハサミで表面のキリトリ線を切り離してからご使用ください

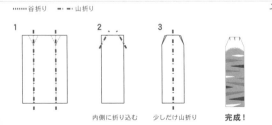

1   2   3

2 内側に折り込む

3 少しだけ山折り

完成！

完成！

猫にマタタビ

オリエンタル
Oriental

シャム猫同士から配され、極端に長く細い
体形に三角の顔をしているのが特徴の猫。

谷折り
valley fold

山折り
mountain fold

✂ キリトリ線

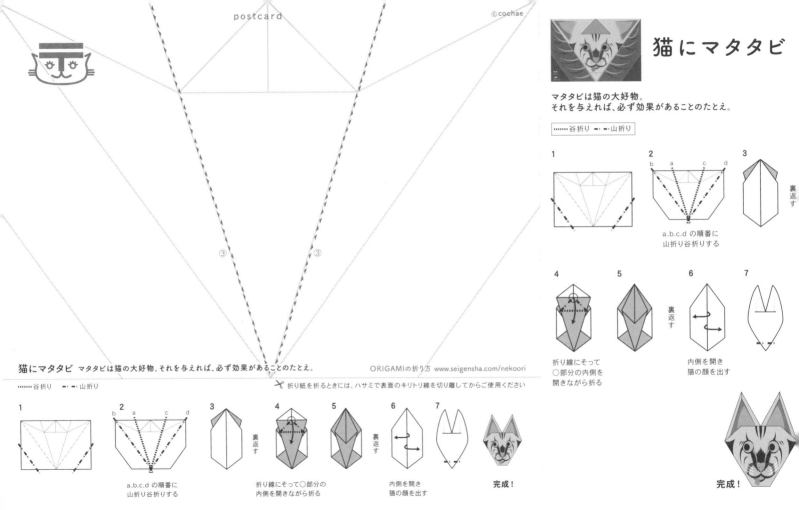

猫にマタタビ

マタタビは猫の大好物。
それを与えれば、必ず効果があることのたとえ。

┈┈┈ 谷折り　━ ・━ 山折り

1

2
b　a　　c　d

3
裏返す

a.b.c.d の順番に
山折り谷折りする

4
折り線にそって
○部分の内側を
開きながら折る

5
裏返す

6
内側を開き
猫の顔を出す

7

完成！

猫にマタタビ　マタタビは猫の大好物。それを与えれば、必ず効果があることのたとえ。

ORIGAMIの折り方 www.seigensha.com/nekoori

┈┈┈ 谷折り　━ ・━ 山折り

✂ 折り紙を折るときには、ハサミで表面のキリトリ線を切り離してからご使用ください

1

2
b　　a　　c　d

a.b.c.d の順番に
山折り谷折りする

3
裏返す

4
折り線にそって○部分の
内側を開きながら折る

5
裏返す

6
内側を開き
猫の顔を出す

7

完成！

猫の額

ペルシャ
Persian

長い毛に、ずんぐりとした体に短い足、離れた両目にしし鼻が特徴の猫。

折り
valley fold

山折り
mountain fold

✂ キリトリ線

猫の額 非常に狭いところ、面積の狭い土地のたとえ。

postcard

©cochae

猫の額 （ひたい）

非常に狭いところ、面積の狭い土地のたとえ。

┄┄┄ 谷折り ━・━ 山折り

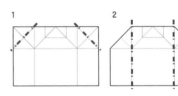

1　2　3

折り線にそっ〇部分の内側開きながら折

4　5　6

内側に折り込

猫の額 非常に狭いところ、面積の狭い土地のたとえ。

ORIGAMIの折り方 www.seigensha.com/nekoori

┄┄┄ 谷折り ━・━ 山折り

✂ 折り紙を折るときには、ハサミで表面のキリトリ線を切り離してからご使用ください

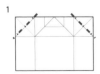

1　2　3　4　5　6

折り線にそって〇部分の
内側を開きながら折る

内側に折り込む

完成！

完成！

鳴く猫ねずみを捕らず

マンクス
Manx

ノアの箱舟に飛び乗ったとき、ドアに尻尾をはさまれ尾が切れた伝説がある尾がない猫。

山折り mountain fold

谷折り valley fold

キリトリ線

©cochae

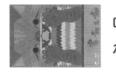

鳴く猫
ねずみを捕らず

口数が多くよくしゃべる人にかぎって、口先だけで実行力がな
ことのたとえ。

┈┈ 谷折り ━ ▪ ━ 山折り

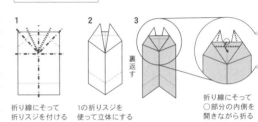

1 折り線にそって
折りスジを付ける

2 1の折りスジを
使って立体にする

3 裏返す

折り線にそって
○部分の内側を
開きながら折る

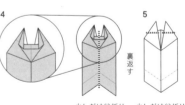

4

裏返す

少しだけ谷折り

5 少しだけ谷折り

完成！

鳴く猫ねずみを捕らず
口数が多くよくしゃべる人にかぎって、口先だけで実行力がないことのたとえ。

ORIGAMIの折り方 www.seigensha.com/nekoori

┈┈ 谷折り ━ ▪ ━ 山折り

✂ 折り紙を折るときには、ハサミで表面のキリトリ線を切り離してからご使用ください

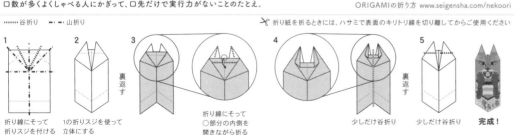

1 折り線にそって
折りスジを付ける

2 1の折りスジを使って
立体にする

3 裏返す

折り線にそって
○部分の内側を
開きながら折る

4 少しだけ谷折り

5 裏返す

少しだけ谷折り

完成！

借りて来た猫

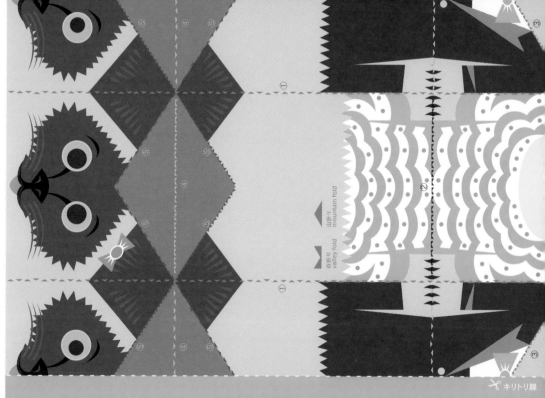

シャム
Siamese

短毛種で主にタイ王室や貴族、寺院などで
飼われていたと言われる猫。

山折り
mountain fold

谷折り
valley fold

キリトリ線

借りてきた猫

ふだんと違って非常におとなしくしている様子のたとえ。

┈┈ 谷折り ━･━ 山折り

1 **2** **3**

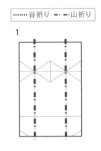

上の紙だけ谷折りし
襟を作る

4 **5** **6**

5 顔部分を
内側に差し込む

6 折り線にそって
半分に折る

ORIGAMIの折り方 www.seigensha.com/nekoori

2番から反対に折ると
女の子シャム猫になるよ

完成！

借りてきた猫 ふだんと違って非常におとなしくしている様子のたとえ。

┈┈ 谷折り ━･━ 山折り

✂ 折り紙を折るときには、ハサミで表面のキリトリ線を切り離してからご使用ください

1 **2** **3** **4** **5** **6**

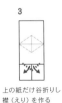

3 上の紙だけ谷折りし
襟（えり）を作る

5 顔部分を
内側に差し込む

6 折り線にそって
半分に折る

2番から反対に折ると
女の子シャム猫になるよ

完成！

猫が茶を吹く

バリニーズ

Balinese

スリムな体つきで、バリ島の踊り子をイメージ
して名づけられた猫。

谷折り
valley fold

山折り
mountain fold

キリトリ線

猫が茶を吹く 実際には猫はお茶を吹くことはないが、猫がふうふうと茶を吹いているような滑稽な表情のたとえ。

猫が茶を吹く

実際には猫はお茶を吹くことはないが、猫がふうふうと茶を吹いているような滑稽な表情のたとえ。

┈┈ 谷折り　━･━ 山折り

1

裏面を出す

2

3

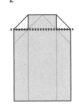

折り線にそって
○部分の内側を
開きながら折る

4

5

裏返す

完成！

猫が茶を吹く

実際には猫はお茶を吹くことはないが、猫がふうふうと茶を吹いているような滑稽な表情のたとえ。

ORIGAMIの折り方 www.seigensha.com/nekoori

┈┈ 谷折り　━･━ 山折り

✂ 折り紙を折るときには、ハサミで表面のキリトリ線を切り離してからご使用ください

1

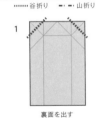

裏面を出す

2

3

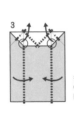

折り線にそって
○部分の内側を
開きながら折る

4

5

裏返す

完成！

窮鼠猫を噛む

シンガプーラ
Singapura

シンガポールのマレー語読み、小型の猫なので小さな妖精とも呼ばれている猫。

谷折り valley fold

山折り mountain fold

キリトリ線

窮鼠猫を噛む 追いつめられたネズミが猫に噛みつくように、窮地に追い込まれた弱者が強者に反撃すること。

窮鼠猫を噛む
<small>きゅうそ</small>

追いつめられたネズミが猫に噛みつくように、窮地に追い込まれた弱者が強者に反撃すること。

〘┈┈ 谷折り ━･━ 山折り〙

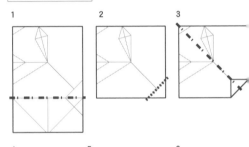

4
折り線にそって
内側を開きながら
顔を出す

5

6
頭部分を少し山折り

完成！

窮鼠猫を噛む

追いつめられたネズミが猫に噛みつくように、窮地に追い込まれた弱者が強者に反撃すること。

ORIGAMIの折り方 www.seigensha.com/nekoori

〘┈┈ 谷折り ━･━ 山折り〙

✂ 折り紙を折るときには、ハサミで表面のキリトリ線を切り離してからご使用ください

4
折り線にそって
内側を開きながら
顔を出す

5

6
頭部分を少し山折り

完成！

猫に鈴

アビシニアン
Abyssinian

イギリス兵がアビシニア高原から連れ帰った猫
から名づけられた猫。

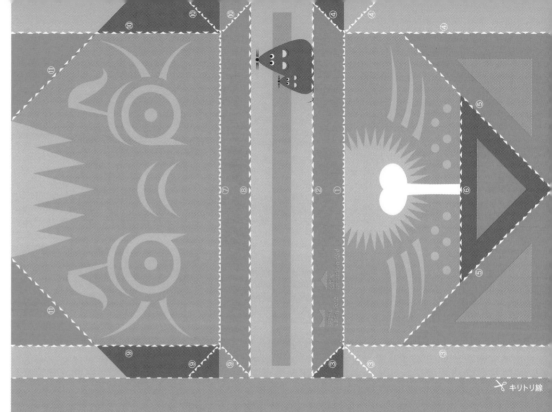

キリトリ線

猫に鈴 イソップ童話の話のなかに登場するネズミが猫に鈴をつけようと相談しているさまから、いざ実現するには、難しそうな計画や案のたとえ。

©cochae

猫に鈴

イソップ童話のお話のなかに登場するネズミが猫に鈴をつけよ
と相談しているさまから、いざ実現しようとするには、難しそうな計
画や案のたとえ。

� 谷折り 〓 山折り

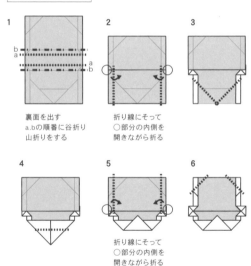

1
裏面を出す
a.bの順番に谷折り
山折りをする

2
折り線にそって
○部分の内側を
開きながら折る

3

4

5
折り線にそって
○部分の内側を
開きながら折る

6

7

裏返す

完成！

猫に鈴

イソップ童話の話のなかに登場するネズミが猫に鈴をつけようと相談しているさまから、いざ実現するには、難しそうな計画や案のたとえ。

ORIGAMIの折り方 www.seigensha.com/nekoori

�is 谷折り 〓 山折り　　　　　　　　　　✂ 折り紙を折るときには、ハサミで表面のキリトリ線を切り離してからご使用ください

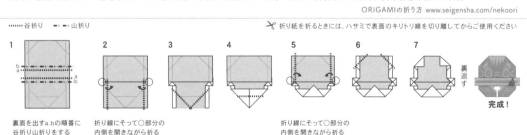

1
裏面を出すa.bの順番に
谷折り山折りをする

2
折り線にそって○部分の
内側を開きながら折る

3

4

5
折り線にそって○部分の
内側を開きながら折る

6

7

裏返す

完成！

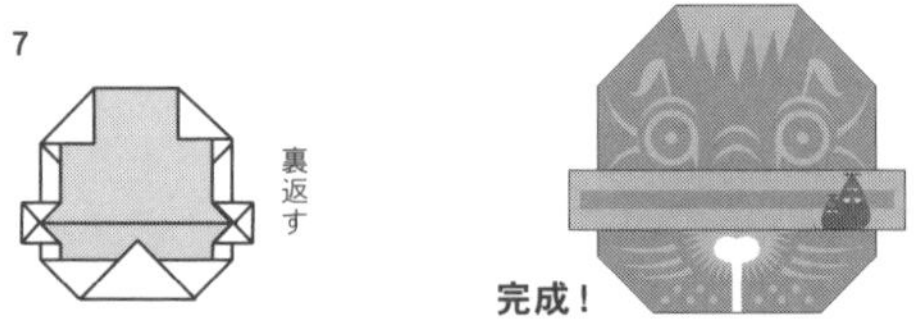

猫かわいがり

マンチカン
Munchkin

犬のダックスフンドのように、猫のなかでも
とても短い足をしているのが特徴の猫。

山折り
mountain fold ▶

谷折り
valley fold ▶

猫かわいがり 猫をかわいがるように、甘やかして一方的に溺愛していること。

©cochae

猫かわいがり

猫をかわいがるように、甘やかして一方的に溺愛していること。

──── 谷折り ── 山折り

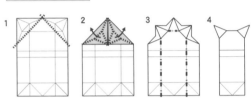

1　2　3　4

5　6　7　8

5 ○部分を内側に折り込む

7 b────a　a,bの順番に折る

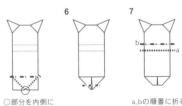

9

少し山折り

完成！

猫かわいがり 猫をかわいがるように、甘やかして一方的に溺愛していること。

ORIGAMIの折り方 www.seigensha.com/nekoori

──── 谷折り ── 山折り

✂ 折り紙を折るときには、ハサミで表面のキリトリ線を切り離してからご使用ください

1　2　3　4　5　6　7　8　9

5 ○部分を内側に折り込む

7 a,bの順番に折る

9 少し山折り

完成！

猫に紙袋

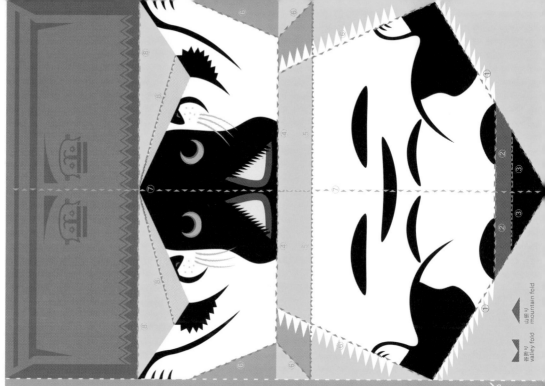

キムリック
Cymric

小さく筋肉質な体、そしてほとんどしっぽがないのが特徴の猫。

山折り mountain fold

谷折り valley fold

キリトリ線

猫に紙袋

猫の頭に紙袋を被せると前に行けず後ろへ下がることから、後ずさり、後退する様子のたとえ。

 谷折り　山折り

1

裏面を出し谷折りをする

2

a,b の順番に谷折り
山折りをする

3

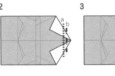

a,b の順番に谷折り
山折りをする

4

折り線にそって
○部分の内側を
開きながら折る

5

半分に谷折り

6

a,b の順番に谷折り
山折りをする

完成！

猫に紙袋

猫の頭に紙袋を被せると前に行けず後ろへ下がることから、後ずさり、後退する様子のたとえ。

ORIGAMIの折り方 www.seigensha.com/nekoori

 谷折り　山折り　　　　折り紙を折るときには、ハサミで表面のキリトリ線を切り離してからご使用ください

1

裏面を出し谷折りをする

2

a,b の順番に谷折り
山折りをする

3

a,b の順番に谷折り
山折りをする

4

折り線にそって○部分の
内側を開きながら折る

5

半分に谷折り

6

a,b の順番に谷折り
山折りをする

完成！

猫まんま

ピクシーボブ
Pixie-Bob

山猫のような野生的な目をしているのが特徴の猫。

山折り
mountain fold

谷折り
valley fold

キリトリ線

猫まんま 削り節をご飯の上に乗せ、醤油や味噌汁をかけた物。

猫まんま

削り節をご飯の上に乗せ、醤油や味噌汁をかけた物。

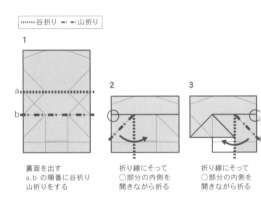

····· 谷折り　━·━ 山折り

1

裏面を出す
a.b の順番に谷折り
山折りをする

2

折り線にそって
○部分の内側を
開きながら折る

3

折り線にそって
○部分の内側を
開きながら折る

4

5

6

裏返す

完成！

猫まんま　削り節をご飯の上に乗せ、醤油や味噌汁をかけた物。

ORIGAMIの折り方 www.seigensha.com/nekoori

✂ 折り紙を折るときには、ハサミで表面のキリトリ線を切り離してからご使用ください

1

a
b

裏面を出す
a.bの順番に谷折り
山折りをする

2

折り線にそって
○部分の内側を
開きながら折る

3

折り線にそって
○部分の内側を
開きながら折る

4

5

6

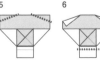

裏返す

完成！

犬は人に付き、猫は家に付く

エキゾチック
Exotic

平らな顔つきにずんぐりとした体で、柔らかい
甲高いなき声が特徴の猫。

山折り mountain fold　谷折り valley fold

キリトリ線

©cochae

犬は人に付き、猫は家に付く

犬は主人になつき、引っ越し先にもついて行くが、猫は住みついた家になじむといわれる。犬と猫の性質の違いを表す言葉。

ORIGAMIの折り方 www.seigensha.com/nekoori

:·····: 谷折り	-·- 山折り

1

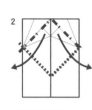

裏面を出す
a.b の順番に山折り
谷折りをする

2

折り線にそって
内側を開きながら折る

3

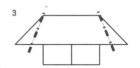

4

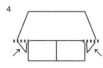

↑部分の屋根を
内側に折り込む

完成！

犬は人に付き、猫は家に付く

犬は主人になつき、引っ越し先にもついて行くが、猫は住みついた家になじむといわれる。犬と猫の性質の違いを表す言葉。

:·····: 谷折り	-·- 山折り	✂ 折り紙を折るときには、ハサミで表面のキリトリ線を切り離してからご使用ください

1

裏面を出す
a.bの順番に山折り谷折りをする

2

折り線にそって
内側を開きながら折る

3

4

↑部分の屋根の
内側に折り込む

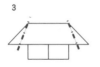

完成！

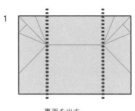

猫にもなれば虎にもなる

ソマリ
Somali

アビシニアンの長毛種を交配し生まれた、長い体毛とふさふさとした尾が特徴の猫。

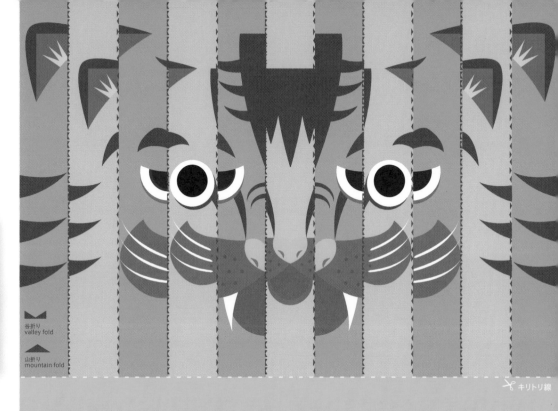

谷折り
valley fold

山折り
mountain fold

キリトリ線

postcard
postcard

ⓒcochae

猫にもなれば虎にもなる

同じ人が、時と場合によっては大人しくもなれば、凶暴にもなる、
いうこと。

┄┄┄ 谷折り　━・━ 山折り

1

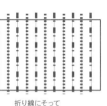

折り線にそって
山折り谷折りをくり返す

完成！

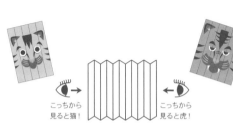

こっちから　　　　　　　　こっちから
見ると猫！　　　　　　　　見ると虎！

猫にもなれば虎にもなる
同じ人が、時と場合によっては大人しくもなれば、凶暴にもなるということ。

ORIGAMIの折り方 www.seigensha.com/nekoori

┄┄┄ 谷折り　━・━ 山折り　　　　　　　　✂ 折り紙を折るときには、ハサミで表面のキリトリ線を切り離してからご使用ください

1

折り線にそって
山折り谷折りをくり返す

完成！

こっちから　　　　　　　　こっちから
見ると猫！　　　　　　　　見ると虎！

猫舌

ラグドール
Ragdoll

ぬいぐるみのように毛が柔らかく、愛されていた
ことから名づけられた猫。

山折り
mountain fold

谷折り
valley fold

キリトリ線

©cochae

猫舌

熱いものを食べたり飲んだりすることが苦手な人のこと。

┈┈ 谷折り　━・━ 山折り

1
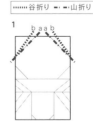
baab
a.bの順番に山折り
谷折りをする

2
b
a
a.bの順番に谷折り
山折りをする

3
裏返す

4

折り線にそって
○部分の内側を
開きながら折る

5
裏返す

6

7

完成！

猫舌　熱いものを食べたり飲んだりすることが苦手な人のこと。

ORIGAMIの折り方 www.seigensha.com/nekoori

┈┈ 谷折り　━・━ 山折り

✂ 折り紙を折るときには、ハサミで表面のキリトリ線を切り離してからご使用ください

1
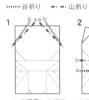
baab
a.bの順番に山折り
谷折りをする

2

b
a
a.bの順番に谷折り
山折りをする

3

裏返す

4

折り線にそって
○部分の内側を
開きながら折る

5

6

裏返す

7

完成！